9.

6/22

Pour être tenu au courant de nos publications,
envoyez vos coordonnées à :
info@laplage.fr
www.laplage.fr

© Éditions La Plage, Paris, 2016
ISBN : 978-2-84221-464-7
Conception graphique : David Cosson – dazibaocom.com
Photogravure : Atelier Six, Montpellier

Imprimé sur du papier issu de forêts gérées durablement,
à Barcelone, sur les presses de Beta (ES), imprimeur labellisé
pour ses pratiques respectueuses de l'environnement.

Ma Petite BOUCHERIE vegan

Sébastien Kardinal
& Laura Veganpower
Photographies et
stylisme culinaire

éditions La plage

Remerciements

Je tiens à remercier Monsieur Paulo, mon bêta-testeur
officiel de recettes pour avoir mis ses sens à mon service.
Un grand merci aussi à la société Wismer (www.wismer.fr)
qui m'a fourni la trancheuse à jambon et le hachoir à viande.

Ce livre est dédié à tous les gourmets amateurs
de bonne chère sans cruauté.

SOMMAIRE

La charcuterie

Les classiques d'ici

Les classiques d'ailleurs

INTRODUCTION AU MONDE DES SIMILICARNÉS

« J'aime trop la viande, jamais je ne pourrais m'en passer »

Combien de fois m'a-t-on dit cette phrase ? Cette excuse est devenue un classique que tous les végétariens et végétaliens entendent régulièrement à l'annonce de leur choix alimentaire. Et pourtant… Comme chacun le sait, la gastronomie végétale ne se limite pas à un bol de riz complet servi avec des légumes vapeur. Cette image d'ascétisme caricaturale est encore bien ancrée dans les croyances populaires. Il existe pourtant une gamme de produits qui ont pour but de se substituer à la viande, tant dans la forme et l'utilisation, que dans l'apport en protéines. De nombreuses marques spécialisées rivalisent de créativité afin de nous proposer steaks, saucisses, charcuterie et autres gourmandises sans aucun produit d'origine animale. Ce n'est pourtant pas une nouveauté, puisque l'on peut remonter 2000 ans en arrière pour trouver les origines de ce que l'on considérera comme le premier similicarné de l'histoire, à savoir, le seitan. Cette viande végétale, constituée de gluten de blé, trouve ses origines chez les moines bouddhistes de la Chine ancestrale et fait donc partie inhérente de la culture végétarienne. Cette tradition culinaire n'arrivera en occident que dans les années 1970 grâce au mouvement macrobiotique. Beaucoup de chemin a été parcouru depuis et, plus que jamais, les similicarnés ont toute leur place dans notre alimentation quotidienne. C'est pourquoi, fidèle aux valeurs d'une cuisine faite maison, je vous propose de réaliser vous-même des substituts à la viande qui blufferont vos papilles et vos yeux.

INGRÉDIENTS DE BASE

Gluten de blé

Cette protéine issue du blé est l'ingrédient majeur permettant de réaliser des similicarnés, dont l'incontournable seitan. Il se présente sous forme de farine extra fine et gonfle instantanément au contact du liquide. Son goût est neutre ce qui permet de l'aromatiser à sa guise. Si vous n'êtes pas intolérant au gluten, il n'y a aucune raison de s'en priver.

Tofu

Le tofu est une préparation traditionnelle réalisée à partir de fèves de soja jaune. Riche en protéines, il se présente généralement sous la forme d'un bloc blanc et compact. Sa texture peut varier selon les modes de préparation, allant de l'extra ferme au crémeux dit soyeux. Relativement insipide, il faut le travailler afin de lui donner bon goût. On trouve une grande variété de tofu parfumé, dont le délicieux tofu fumé.

Protéines de soja texturées

Ce produit « étrange » est obtenu à partir de farine de soja déshuilée puis soufflée. C'est donc un produit sec que l'on réhydratera avant consommation. Il en existe de multiples formes et tailles, allant de la miette aux très grands morceaux de la taille d'un steak. Une fois préparé, sa texture s'apparente à de la viande blanche, mais son goût dépendra uniquement du liquide de réhydratation. Il est généralement préconisé d'utiliser un bouillon de légumes bien corsé.

Tempeh

Il s'agit de graines de soja jaune fermentées qui ont été compactées puis ensemencées avec un champignon nommé *rhizopus oligosporus*. C'est une spécialité culinaire indonésienne avec un goût doux, mais caractéristique. On le trouve généralement sous forme de boudin ou encore en carré plat et vendu sous vide. À l'instar du tofu, le tempeh peut être fumé et gagne à être mariné avant cuisson.

Légumineuses

Qu'il s'agisse de pois chiches, de haricots blancs ou encore de lentilles, ces légumes secs sont une bonne base de protéines, mais sont aussi riches en minéraux. Une fois cuits, écrasés ou même réduits en fine purée, on peut les intégrer facilement à d'autres ingrédients comme le gluten de blé. Cela apporte des textures surprenantes aux préparations. On peut les cuire soi-même après une période de trempage ou les acheter déjà cuits, surgelés ou en bocaux.

Oléagineux

Les fruits secs tels que les amandes, les noisettes et tous les fruits à coques de manière générale, sont des ingrédients intéressants à intégrer dans les préparations de similicarné. Une fois réduits en poudre, ils libèrent du gras et influent sur la texture finale de la recette. Bien sûr, chacun d'entre eux apporte aussi son lot de nutriments essentiels.

Épices

Vous l'aurez compris, la majorité des bases présentées ci-dessus sont relativement fades si on ne les assaisonne pas correctement. Et c'est là que les épices entrent en jeu. Qu'il s'agisse de poivre, de coriandre, de cumin, de paprika ou encore de piment, leur dosage précis est à respecter sous peine de déséquilibrer totalement la recette. La qualité des épices joue énormément sur les arômes. Il est donc important de bien les connaître et de les goûter avant utilisation.

Comment les mesurer ?

La cuisine est une histoire de précision. Il est toujours important de respecter scrupuleusement les quantités. Une balance de cuisine est indispensable, or la majorité des balances domestique ne sont réactives qu'au-delà de 5 g. En dessous, rien ne bouge. Voici une astuce si vous n'avez pas une balance suffisamment précise : posez un petit récipient sur la balance, notez la pesée, puis ajoutez l'ingrédient en additionnant le grammage désiré.

Aides culinaires

Afin d'apporter du goût, il y a différents types de produits indispensables que l'on devrait toujours avoir en cuisine : le tamari (la sauce de soja), la sauce Worcester (version végétalienne sans anchois), le bouillon de légumes déshydraté (sous forme de cube ou en pot) ou encore le *liquid smoke* (une décoction de bois d'hickory). Tous ces ingrédients apportent de la profondeur et du caractère.

Où les trouver ?

La quasi-totalité des ingrédients utilisés dans les recettes de ce livre sont trouvables en magasin bio. Certains, néanmoins, nécessitent de se tourner vers des commerces spécialisés tels que le magasin Un Monde Vegan qui propose un très large choix de produits exclusifs. N'hésitez pas à visiter le site web de l'enseigne pour faire vos courses.

Ma Petite BOUCHERIE vegan

La Charcuterie

Voici ma version de la célèbre saucisse épicée qui nous vient du Maghreb. Ici, bien sûr, ni bœuf ni mouton heureusement, mais un savant mélange de lentilles corail, de gluten et d'un bon mélange d'épices qui fait décoller les papilles.

PRÉPARATION : 20 MIN - CUISSON : 1 H

INGRÉDIENTS

• 200 g de lentilles corail • 4 g de fenouil en graines • 4 g de graines de coriandre
• 4 g de cumin • 4 g de paprika doux • 3 g d'oignon en poudre
• 2 g d'ail séché moulu • 1 g de muscade • 15 g de sel fin non raffiné
• 50 g de harissa • 15 ml d'huile d'olive • 50 ml de jus de betterave
• 30 g de concentré de tomates • 200 g de gluten de blé • 20 g de tapioca

PRÉPARATION

Dans une casserole, faire bouillir 550 ml d'eau et ajouter les lentilles corail. Laisser cuire à feu moyen et à couvert durant environ dix minutes. Les lentilles devront avoir absorbé toute l'eau.
Pendant ce temps, préparer l'assaisonnement. Dans un mortier, réduire en poudre les graines de fenouil, de coriandre et le cumin. Ajouter le paprika, l'oignon en poudre, l'ail séché et râper la muscade. Ajouter le sel et deux cuillerées à café d'eau froide, mélanger pour obtenir une pâte puis ajouter la harissa et mélanger une dernière fois. Réserver.
Une fois les lentilles cuites, ajouter l'assaisonnement et mixer pour obtenir une purée lisse. Ajouter l'huile d'olive, le jus de betterave, le concentré de tomates et mélanger. Dans un bol, mélanger le gluten, le tapioca et ajouter petit à petit à la purée de lentilles. Pétrir énergiquement afin d'obtenir une boule de seitan homogène.
Fractionner le pâton en plusieurs parts égales pour former les merguez en les contraignant dans du film alimentaire. Bien sceller les extrémités. Pour la taille, compter environ 20 cm de longueur et 1,5 cm de diamètre. Cuire les merguez à la vapeur durant une heure.
Une fois cuites, retirer immédiatement le film et laisser refroidir à température ambiante.
Avant dégustation, faire dorer à la poêle durant quelques minutes avec un fond d'huile d'olive afin d'obtenir un aspect brillant.

NOTE Ces merguez auront toute leur place pour accompagner un couscous de légumes ou encore dans un sandwich garni de frites et de harissa.

POUR
1
TERRINE

Si comme moi vous préférez voir les lapins gambader librement dans la garenne, vous apprécierez ce pâté maison aux allures campagnardes. Comme quoi, avec un peu de tofu, des champignons et quelques épices, on arrive à faire des choses très gourmandes.

PRÉPARATION : 20 MIN - CUISSON : 1 H

INGRÉDIENTS

• 1 oignon jaune • 1 gousse d'ail • Huile de colza • 15 ml de cognac
• 400 g de champignons de Paris • 500 g de tofu ferme • 10 g de sel fin non raffiné
• 2 g de poivre noir • ¼ de noix de muscade • 10 graines de genièvre
• 4 clous de girofle • 30 ml de tamari • 60 g de fécule de maïs

PRÉPARATION

Préchauffer le four à 200 °C.
Éplucher l'oignon et l'ail, les émincer finement et les faire dorer dans une poêle avec un peu d'huile de colza. Déglacer* ensuite avec le cognac et réserver hors du feu.
Nettoyer les champignons et les hacher finement. Dans un cul-de-poule, émietter le bloc de tofu bien égoutté. Ajouter le sel, le poivre, la noix de muscade râpée, les baies de genièvre entières, les clous de girofles préalablement réduits en poudre à l'aide d'un mortier et le tamari.
Dans un ramequin, délayer la fécule de maïs avec six cuillerées à soupe d'eau.
Bien mélanger les préparations et garnir un plat à terrine muni d'un couvercle en compactant soigneusement et cuire au four, à mi-hauteur, pendant une heure.
Bien laisser refroidir avant de déguster.

NOTE Cette terrine pourra se conserver plusieurs jours au frais en la laissant dans son récipient de cuisson. Elle se déguste accompagnée d'un bon pain frais et de quelques cornichons.

---

* Le déglaçage consiste à verser un liquide (vin, bouillon, crème etc.) dans un plat encore chaud afin de récupérer les sucs de cuisson pour en faire une sauce d'accompagnement savoureuse.

POUR
2
CHORIZOS

Cette spécialité ibérique est généralement très appréciée telle quelle ou encore intégrée dans des plats comme la paella ou sur une pizza. Le goût typique de ce saucisson vient d'une variété de paprika fumé appelée : piment de la Vera.

PRÉPARATION : 30 MIN - CUISSON DES POIVRONS : 20/25 MIN - CUISSON DU CHORIZO : 60 MIN

INGRÉDIENTS

• 4 poivrons rouges • 30 ml d'huile d'olive • 1 gousse d'ail • 150 ml d'eau froide
• 300 g de gluten de blé • 5 g de piment de la Vera fort • 15 g de piment de la Vera fort
• 15 g de sel fin non raffiné • 2 g de thym • 3 g de cumin

PRÉPARATION

Nettoyer soigneusement les poivrons en retirant les graines et les côtes blanches et les couper en petits morceaux. Dans une casserole, faire chauffer les 30 ml d'huile d'olive et y faire revenir les poivrons avec la gousse d'ail épluchée et écrasée, à couvert et à feu moyen durant 20 minutes. Une fois les poivrons cuits, les mixer avec l'eau froide dans un blender, jusqu'à obtention d'une purée fluide. Réserver.

Dans un cul-de-poule, mélanger le gluten de blé, les deux poudres de piment, le sel et ajouter le thym et le cumin préalablement réduits en poudre à l'aide d'un mortier.

Mélanger la préparation sèche avec la purée de poivrons et pétrir le tout, avec les mains ou à l'aide d'un robot à cuve muni d'une feuille, jusqu'à obtenir un pâton à la fois ferme et élastique. Diviser le pâton en deux et former deux gros boudins en les contraignant dans du film alimentaire. Sceller les extrémités avec de la ficelle de cuisine et plier les boudins en forme de U.

Cuire les deux chorizos crus à la vapeur durant une heure. Une fois cuits, retirer le film et laisser refroidir à l'air libre durant plusieurs heures avant de déguster.

NOTE Cette recette de chorizo est épicée à une échelle de 4 sur 10. Pour les amateurs de sensations plus fortes, il est possible d'inverser simplement les proportions de piment de la Vera doux et fort.

JAMBON

POUR 1 PIÈCE

Voici sûrement la charcuterie la plus consommée. Pourtant ce n'est pas, gustativement parlant, ce qu'il y a de plus intéressant. C'est surtout le côté pratique qui est apprécié. Ce jambon végétal est à déguster tel quel ou à intégrer dans des recettes classiques.

PRÉPARATION : 20 MIN - CUISSON : 1 H

INGRÉDIENTS

• 250 ml de lait de soja • 3 g de piment de la Vera • 1 cube de bouillon de légumes • 10 g de levure maltée • 5 g de farine de graines de caroube • 50 ml d'huile de colza • 50 g de miso blond • 200 g de gluten de blé

PRÉPARATION

Dans une casserole, faire chauffer le lait de soja avec le piment de la Vera, le cube de bouillon de légumes, la levure maltée et la farine de caroube. Bien délayer à l'aide d'un fouet. Continuer à remuer pendant la cuisson jusqu'à ce que le liquide épaississe. Ajouter alors l'huile de colza puis le miso blond et bien mélanger afin d'obtenir une crème lisse et consistante.

Laisser refroidir pendant un quart d'heure puis ajouter le gluten et pétrir le tout jusqu'à obtention d'un pâton élastique et homogène.

Filmer le pâton sans serrer et le cuire à la vapeur durant une heure.

Une fois la cuisson terminée, laisser complètement refroidir avant la découpe.

Pour obtenir de belles tranches, utiliser une trancheuse si vous en êtes équipé. Sinon, s'aider d'une mandoline ou encore d'un couteau de cuisine très aiguisé. L'idéal est d'obtenir des tranches régulières de 1 mm d'épaisseur.

NOTE La farine de caroube, aussi appelée gomme de caroube, est un épaississant naturel qu'il ne faut surtout pas confondre avec la poudre de caroube, qui est généralement utilisée en remplacement du cacao.

SAUCISSES
AUX HERBES

POUR 6 SAUCISSES

Afin de varier avec les sempiternelles saucisses végétales de type « Knacki », j'ai préféré réaliser une version plus rustique, dans l'esprit des chipolatas. Cette base peut être personnalisée en les fumant ou en variant les aromates.

PRÉPARATION : 20 MIN - CUISSON : 1 H

INGRÉDIENTS

• 1 gousse d'ail • 2 échalotes • 15 g de persil plat frais •
• 50 cl de bouillon de légumes • 15 cl de vin blanc sec •
50 g de petites protéines de soja texturées • 300 g de gluten de blé •
• ¼ de noix de muscade • 2 g de poivre noir • 10 g de sel fin non raffiné

PRÉPARATION

Éplucher l'ail et les échalotes, laver le persil plat et hacher le tout très finement.
Dans une casserole, faire chauffer le bouillon de légumes, ajouter les aromates, le vin blanc et les protéines de soja texturées. Laisser cuire durant dix minutes à feu moyen sans couvrir, puis laisser refroidir complètement. Dans un cul-de-poule, verser le gluten de blé, le sel, la noix de muscade râpée et le poivre moulu. Mélanger avec le soja texturé et son bouillon parfumé. Bien pétrir, avec les mains ou à l'aide d'un robot à cuve muni d'une feuille, jusqu'à obtenir un pâton homogène. Fractionner en six parts égales et les façonner en saucisses. Les contraindre dans du film alimentaire en scellant les extrémités avec de la ficelle de cuisine.
Cuire les saucisses à la vapeur durant une heure. Une fois cuites, retirer le film alimentaire et les faire dorer à la poêle avec un peu de matière grasse (margarine végétale ou huile d'olive).

NOTE En période estivale, ces saucisses se prêtent parfaitement à une cuisson au barbecue. Elles peuvent aussi se servir froides (après cuisson), coupées en sifflets pour l'apéritif avec un peu de moutarde de Meaux.

RILLETTES

POUR 2 POTS

Pour cette charcuterie, j'ai décidé de ne pas chercher à recréer un goût carné, mais au contraire d'assumer une identité très végétale. Pour autant, je me suis amusé à travailler l'aspect en détail afin de rendre ces rillettes visuellement crédibles.

PRÉPARATION : 20 MIN

INGRÉDIENTS

• 250 g de lentilles blondes cuites • 200 g de cœurs d'artichaut cuits
• 1 oignon blanc • 10 g de margarine végétale • 1 branche de thym
• 2 feuilles de laurier • Poivre noir
• 80 g d'huile de noix de coco désodorisée • Sel fin non raffiné

PRÉPARATION

Écraser les lentilles blondes à l'aide d'un pilon ou d'une fourchette et faire de même avec les cœurs d'artichaut. Il ne faut surtout pas lisser la préparation, afin de préserver la fibre des aliments.

Émincer finement l'oignon blanc et le faire cuire à feu doux avec la margarine. Ajouter la branche de thym ainsi que les feuilles de laurier, saler et couvrir. Une fois les oignons fondants, retirer le thym, le laurier et les écraser avec le plat d'une spatule.

Mélanger les lentilles, les cœurs d'artichaut et les oignons, poivrer généreusement et intégrer à l'aide d'une fourchette 30 g d'huile de noix de coco à l'état solide.

Mettre la préparation dans des pots, bien tasser et lisser la surface. Faire fondre les 50 g d'huile de coco restant au bain-marie et verser à parts égales sur les rillettes.

Laisser reposer au moins deux heures au frais avant de servir. Déguster sur du bon pain frais.

NOTE Vos rillettes pourront se conserver au réfrigérateur durant une semaine voire plus.

GENDARMES

POUR 6 PERSONNES

Cette charcuterie alsacienne n'est pas des plus connues mais reste emblématique de cette région. C'est aussi une spécialité d'outre-Rhin très répandue. J'ai volontairement forcé le caractère des épices afin de rendre hommage à ces graines parfumées que j'adore.

PRÉPARATION : 30 MIN - CUISSON : 1 H

INGRÉDIENTS

• 4 g de graines de cumin • 4 g de fenouil en graines • 2 clous de girofle •
• 1 oignon • 20 ml d'huile de colza • 30 ml de tamari • 15 ml de liquid smoke •
• 40 g de protéines de soja texturées • 100 g de gluten de blé

PRÉPARATION

Dans un mortier, écraser ensemble les graines de cumin, le fenouil et les clous de girofle pour obtenir une poudre. Hacher l'oignon finement et le faire revenir dans une casserole avec l'huile de colza bien chaude. Laisser cuire jusqu'à ce qu'il soit translucide. Ajouter alors les épices et mélanger. Verser le tamari et le *liquid smoke*, mélanger et laisser réduire durant deux minutes à feu moyen sans couvrir. Ajouter 200 ml d'eau ainsi que les protéines de soja texturées. Laisser cuire à couvert durant dix minutes. Une fois cuites, mixer le tout finement et laisser complètement refroidir. Ajouter en fine pluie le gluten et pétrir jusqu'à obtention du pâton. Diviser en six parts égales et les façonner en forme de saucisses rectangulaires. Les contraindre dans du film alimentaire en accentuant la forme du rectangle et cuire durant une heure à la vapeur.
Une fois les gendarmes cuits, les placer sur une surface plane. Poser par dessus une planche lourde et laisser refroidir ainsi pour que la forme se conserve. Une fois totalement refroidis, retirer le film et parer* les côtés et les extrémités. Si les gendarmes sont un peu gras en surface, utiliser du papier absorbant afin de les sécher.

NOTE Rien ne se perd, on pourra réaliser une délicieuse sauce pour agrémenter des pâtes avec les parures de gendarmes coupées en tout petits morceaux et intégrées à une crème végétale et un doigt de moutarde.

* En cuisine, on pare un aliment lorsque l'on souhaite enlever des parties superflues ou égaliser son contour.

Ma Petite
BOUCHERIE
vegan

Les

Classiques
d'ici

STEAKS AU POIVRE

POUR 4 PERSONNES

Recréer une pièce de viande rouge telle qu'une bavette de bœuf, c'est un défi. Mais c'est dans l'utilisation des champignons que j'ai trouvé la réponse afin de parvenir à cette texture. Ce steak seul est savoureux, mais, avec sa sauce, c'est encore mieux !

PRÉPARATION : 25 MIN - CUISSON : 1 H

INGRÉDIENTS

• 500 g de champignons de Paris • 1 gousse d'ail • 100 ml de vin rouge • 50 ml de tamari • 30 g de miso blond • 200 g de gluten de blé • 50 g de poudre d'amandes • ½ oignon • 50 g de margarine végétale • 2 g d'ail en poudre • 2 g de thym • 3 g de poivre vert • 1 g de poivre noir • 30 ml de cognac • 30 g de miso brun • 100 g de crème de soja

PRÉPARATION

Nettoyer et couper les champignons en quatre, écraser la gousse d'ail et faire cuire l'ensemble dans une poêle à feu doux et à couvert durant dix minutes. Le volume des champignons doit réduire environ de moitié. Pendant ce temps, mélanger le vin rouge, le tamari et le miso blond. Verser sur les champignons et laisser cuire pour réduire le liquide de moitié, sans couvrir et toujours à feu doux. Dans un cul-de-poule, mélanger la poudre de gluten et la poudre d'amandes. À l'aide d'un mixeur plongeant, hacher les champignons avec le jus réduit sans laisser de gros morceaux. Laisser refroidir avant de mélanger les deux préparations. Bien pétrir en repliant le pâton sur lui même une dizaine de fois. Contraindre le pâton dans du film alimentaire et le cuire à la vapeur durant une heure. Une fois cuit, retirer le film et laisser bien refroidir. Tailler quatre steaks dans l'épaisseur et les faire revenir trois minutes de chaque côté dans une poêle bien chaude avec de l'huile.

Préparation de la sauce au poivre

Hacher le demi-oignon en tout petits morceaux. Dans une casserole, les faire revenir dans la margarine bien chaude, jusqu'à ce qu'ils soient translucides. Ajouter l'ail en poudre, le thym, les deux poivres moulus et faire revenir à feu doux durant trois minutes. Déglacer* avec le cognac et ajouter le miso brun préalablement délayé avec un peu d'eau (15 ml). Ajouter tout de suite la crème de soja, bien mélanger et laisser réchauffer deux minutes puis saler selon vos goûts. Passer la préparation au chinois afin d'obtenir une sauce lisse. Verser sur les steaks et servir.

NOTE Contrairement aux autres recettes similicarnées, cette préparation est volontairement plus friable afin de lui donner une texture particulière. Attention donc à utiliser des couteaux bien aiguisés.

* Le déglaçage consiste à verser un liquide (vin, bouillon, crème etc.) dans un plat encore chaud afin de récupérer les sucs de cuisson pour en faire une sauce d'accompagnement savoureuse.

PAUPIETTES

POUR 4 PIÈCES

Ce classique de la gastronomie française est un incontournable. C'est une recette un peu plus technique, mais qui mérite le détour. La farce est un véritable bouquet de saveurs et le jeu de textures est surprenant.

PRÉPARATION : 30 MIN - CUISSON : 1 H

INGRÉDIENTS

• 1 oignon • 1 carotte • 200 g de tofu fumé • 1 c. à c. de piment d'Espelette •
• 100 g de pruneaux dénoyautés • 80 ml d'armagnac • 250 g de haricots blancs cuits •
• 80 ml de lait de soja • 130 g de gluten de blé • 10 g de tapioca •
• ¼ de noix de muscade • Poivre noir • 10 g de sel fin non raffiné •
• 15 ml de tamari • 15 ml de sirop d'agave • 15 ml d'huile d'olive •

PRÉPARATION

Dans une casserole avec un peu de matière grasse, faire revenir à feu doux pendant dix minutes l'oignon et la carotte coupés en petits morceaux. Dans un récipient, écraser le tofu fumé, ajouter le piment d'Espelette, les pruneaux préalablement hachés menu, 50 ml d'armagnac et mélanger. Ajouter au mélange la préparation oignon/carotte, passer le tout au hachoir afin d'obtenir une farce fine et saler. Dans un récipient, mixer les haricots blancs, le lait de soja et réserver.

Dans un cul-de-poule, mélanger le gluten, le tapioca, la noix de muscade râpée, ajouter quelques tours de moulin à poivre et le sel. Mélanger les deux préparations et pétrir pour obtenir un pâton souple puis le diviser en quatre portions. Étaler chaque boule à l'aide d'un rouleau à pâtisserie entre deux feuilles de papier sulfurisé jusqu'à obtenir un cercle de 5 mm d'épaisseur.

Ajouter 1,5 cuillerée à soupe de farce et replier la pâte sur elle-même afin d'obtenir une boule bien scellée. Contraindre dans du film alimentaire et cuire à la vapeur durant une heure. Une fois la cuisson terminée, retirer immédiatement le film et ficeler les paupiettes en croix, sans forcer.

Dans un bol, mélanger 30 ml d'armagnac, le tamari, le sirop d'agave et l'huile d'olive.

Faire revenir les paupiettes sur chaque face à feu moyen, dans une cocotte avec un fond d'huile d'olive. Verser une cuillerée à soupe du mélange à l'armagnac sur chaque paupiette et laisser s'évaporer quelques secondes avant de les retourner. Réitérer l'opération jusqu'à ce que chaque pièce soit bien colorée et servir aussitôt.

NOTE Cette technique de paupiettes peut s'adapter à d'autres types de farces selon votre créativité. Veillez simplement à ce que la farce ne soit ni trop mouillée ni trop sèche.

ESCALOPES

SAUCE MOUTARDE

POUR **4** PERSONNES

Créer une escalope végétale à partir de haricots blancs est une idée qui peut paraître saugrenue, mais qui offre une texture très agréable. Là encore, l'idée est de se rapprocher d'une viande blanche de type filet de dinde avec une sauce qui a du caractère.

PRÉPARATION : 25 MIN - CUISSON : 1 H

INGRÉDIENTS

· 240 g de haricots blancs cuits · 10 g de sel fin · 10 g de tapioca ·
· 2 clous de girofle · 15 ml d'huile d'olive · 80 ml de lait de soja ·
· 100 g de gluten de blé · 1 échalote · 60 ml de vin blanc ·
· 80 cl de crème de soja lactofermentée · 30 g de moutarde de Dijon ·
20 g de moutarde de Meaux · Persil haché

PRÉPARATION

Réduire en purée les haricots blancs, ajouter le sel, le tapioca, les clous de girofle réduits en poudre, l'huile d'olive, le lait de soja et bien mélanger afin d'obtenir une préparation lisse et homogène. On peut s'aider d'un mixeur plongeant.
Intégrer la poudre de gluten et pétrir jusqu'à obtenir un pâton assez souple.
Façonner le pâton de la taille d'un pain allongé et le contraindre dans du film alimentaire.
Cuire à la vapeur durant une heure.
Une fois la cuisson terminée, retirer le film alimentaire et laisser refroidir avant de tailler le pâton en quatre tranches dans le sens de l'épaisseur.
Faire cuire les escalopes à la poêle avec un peu de matière grasse quelques minutes sur chaque face pour les colorer.
Préparer la sauce en hachant finement l'échalote et faire revenir dans une casserole à feu moyen. Déglacer* avec la moitié du vin blanc, laisser réduire puis, hors du feu, ajouter la crème de soja, les deux moutardes et bien mélanger. Ajouter le reste de vin blanc et quelques branches de persil finement haché. Remettre la casserole sur le feu deux minutes avant de servir en couvrant les escalopes de sauce.

NOTE Le goût de la sauce repose principalement sur la qualité des moutardes choisies. Vous pouvez, selon votre sensibilité, adapter cette recette avec des moutardes plus douces ou au contraire plus puissantes.

* Le déglaçage consiste à verser un liquide (vin, bouillon, crème etc.) dans un plat encore chaud afin de récupérer les sucs de cuisson pour en faire une sauce d'accompagnement savoureuse.

RÔTI À L'AIL

POUR 6 PERSONNES

J'adore le veau, mais vivant et loin de mon assiette ! Alors, à l'heure du déjeuner dominical, je préfère largement sacrifier des topinambours afin de concevoir un succulent rôti. Préparez-vous à goûter un seitan pas comme les autres !

PRÉPARATION : 30 MIN - CUISSON : 2 H

INGRÉDIENTS

• 500 g de topinambours • 7 gousses d'ail • Gros sel • 300 g de gluten de blé
• 10 g de sel fin non raffiné • 3 g de poivre noir • 2 carottes • 4 champignons de Paris
• 1 oignon • Huile d'olive • 20 ml de tamari • 50 ml de sirop d'érable • 2 branches de romarin

◇◇◇◇◇◇◇◇◇

PRÉPARATION

Éplucher les topinambours ainsi que quatre gousses d'ail et les couper en quarts. Disposer dans une casserole de taille moyenne, couvrir d'eau, ajouter une poignée de gros sel et cuire durant 25 minutes à couvert. À l'aide de la pointe d'un couteau, piquer un morceau de topinambour pour vérifier qu'il est bien cuit. Mixer le tout afin d'obtenir une soupe épaisse et bien lisse. Laisser refroidir. Dans un cul-de-poule, mélanger le gluten de blé avec le sel fin et le poivre moulu.
Ajouter la soupe de topinambours et pétrir, avec les mains ou à l'aide d'un robot à cuve muni d'une feuille, afin d'obtenir un pâton souple.
Dans un tissu fin en coton, poser le pâton et façonner le rôti en forme de petite bûche. Ficeler le tout pour bien le contraindre. Cuire durant une heure à la vapeur.
Pendant ce temps, préparer la garniture aromatique. Couper les carottes en quatre dans le sens de la longueur et faire de même avec les champignons de Paris. Éplucher l'oignon, le couper en quatre et laisser les trois dernières gousses d'ail entières.
Huiler le plat du rôti et ajouter l'ensemble des légumes.
À côté, mélanger le tamari avec le sirop d'érable et réserver.
Une fois le rôti cuit à la vapeur, couper la ficelle, retirer le tissu et le disposer dans le plat sur la garniture aromatique.
Badigeonner le tout avec le mélange sirop/tamari, ajouter les branches de romarin en contact direct avec le rôti et enfourner pendant une heure à 180 °C.

NOTE Ce rôti pourra se déguster accompagné de petites pommes de terre nouvelles, de flageolets ou encore de haricots verts selon les saisons.

BROCHETTES

POUR 6 BROCHETTES

Voici une préparation emblématique des barbecues entre amis, cet incontournable moment de convivialité estival. Ici, la protéine de soja texturée remplace avantageusement une viande blanche. Agneaux et poulets vous en seront reconnaissants !

PRÉPARATION : 20 MIN - CUISSON : 20 MIN

INGRÉDIENTS

• 2 c. à c. de thym séché • 1,5 l d'eau • 1 cube de bouillon de légumes
• 2 gousses d'ail • 200 g de protéines de soja texturées taille «médaillons»
• 2 oignons jaunes • 3 tomates • 2 poivrons verts • 2 c. à c. d'huile de colza
• Poivre noir • Thym frais

◇◆◇◆◇◆◇◆◇

PRÉPARATION

Faire infuser le thym séché dans 1,5 l d'eau bouillante durant dix minutes. Filtrer et porter l'infusion à ébullition. Ajouter le cube de bouillon, presser les deux gousses d'ail au-dessus, mélanger et laisser encore bouillir pendant deux minutes. Ajouter les protéines de soja texturées et laisser cuire à couvert et à feu moyen durant dix minutes.

Pendant ce temps, éplucher les oignons et les couper en quartiers. Faire de même avec les tomates. Vider les poivrons, retirer les parties blanches internes et couper en une douzaine de morceaux de taille identique.

Dans un ramequin, mélanger l'huile de colza avec du poivre noir moulu et du sel fin. Réserver.

Égoutter les protéines de soja texturées et bien les presser afin de retirer un maximum de liquide. Assembler les ingrédients sur des piques à brochettes en alternant les légumes et les médaillons de soja.

À l'aide d'un pinceau, badigeonner les brochettes avec l'huile assaisonnée sur toutes les faces, parsemer de thym frais et cuire les brochettes au barbecue ou au gril pendant environ dix minutes sur chaque face.

Bien surveiller la cuisson selon la puissance du feu afin de ne pas brûler les brochettes.

NOTE Si vous avez prévu un barbecue, pensez à préparer vos brochettes la veille et à les garder filmées au réfrigérateur. Cela vous fera gagner du temps, tout en permettant au thym de diffuser ses arômes.

BALLOTTINES
AUX MORILLES

POUR 6 PIÈCES

Pour ceux qui l'ignorent, la ballottine est un roulé de viande blanche farcie et pochée dans l'eau bouillante. C'est esthétiquement assez séduisant, très contemporain et facile à réaliser. Végétaliser cette recette est un jeu d'enfant avec un bon seitan parfumé.

PRÉPARATION : 30 MIN - CUISSON : 1 H

INGRÉDIENTS

• 100 ml de lait de soja nature • 1 cube de bouillon de légumes • 100 g de morilles • 2 échalotes
• 1 gousse d'ail • 1 clou de girofle • 20 ml de cognac • 2 branches de persil plat
• 100 g de gluten de blé • 50 g de noisettes en poudre • 4 g de sel fin non raffiné
• 10 feuilles d'épinards frais • Huile d'olive • Poivre noir

◇◇◇◇◇◇◇◇◇

PRÉPARATION

Dans un premier temps, porter le lait de soja à ébullition avec le cube de bouillon afin de le dissoudre. Laisser bien refroidir.

Nettoyer les champignons et les couper en petits morceaux. Éplucher les échalotes et la gousse d'ail, hacher le tout finement. Chauffer un peu d'huile dans une poêle et y faire revenir les morilles avec l'ail pendant deux minutes et réserver. Faire revenir ensuite dans la même poêle les échalotes avec le clou de girofle réduit en poudre et une pincée de sel. Lorsque celles-ci sont bien translucides, déglacer avec le cognac et laisser réduire doucement. Hors du feu, ajouter aux champignons, poivrer et finir avec le persil plat finement haché. Mélanger et réserver.

Préparation du seitan

Dans un cul-de-poule, mélanger le gluten, la poudre de noisettes et le sel. Ajouter le lait de soja au bouillon et pétrir. Il faut obtenir un pâton assez souple et modelable. Blanchir les feuilles d'épinards dans une casserole d'eau bouillante pendant dix secondes. Bien les égoutter.

Étaler le pâton entre deux feuilles de papier sulfurisé à l'aide d'un rouleau à pâtisserie de façon à former un rectangle de moins d'1 cm d'épaisseur.

Garnir le seitan avec les feuilles d'épinards. Ajouter la préparation aux morilles et bien étaler sur la surface. Rouler en serrant fortement le tout et contraindre le boudin dans du film alimentaire. Cuire les ballottines à la vapeur durant une heure.

Une fois la cuisson finie, retirer le film alimentaire et laisser refroidir pendant cinq minutes avant de parer les extrémités et découper le boudin en parts égales de façon à former six ballottines. Servir immédiatement avec les légumes verts de votre choix. En cuisine, on pare un aliment lorsque l'on souhaite enlever des parties superflues ou égaliser son contour.

TARTARE

POUR 4 PERSONNES

Cette préparation de viande de bœuf crue est l'une des plus appréciée dans les brasseries parisiennes. J'ai voulu respecter cet esprit du cru en travaillant le tempeh directement sans cuisson et en lui donnant des saveurs que l'on ne lui connaît pas.

PRÉPARATION : 20 MIN - REPOS : 1 H

INGRÉDIENTS

• 450 g de tempeh nature • 60 ml de jus de betterave • 30 g de ketchup • Huile d'olive
• 3 c. à s. de moutarde de Dijon • 1 échalote • 4 gros cornichons • 4 c. à s. de câpres
• 4 branches de persil plat • 4 branches de coriandre fraîche • Sauce Worcester vegan
• Sauce pimentée

PRÉPARATION

Dans un cul-de-poule, émietter le tempeh avec les doigts et verser le jus de betterave et le ketchup. Bien malaxer et laisser reposer une heure.

Ajouter ensuite 20 ml d'huile d'olive, mélanger à nouveau et passer l'ensemble au hachoir pour préparer le tartare.

Dans un bol, fouetter la moutarde bien froide avec 30 ml d'huile d'olive versée en filet. Réserver.

Hacher très finement l'échalote, les cornichons et les câpres. Ciseler ensemble les feuilles de persil et de coriandre fraîche.

Diviser le tempeh haché en quatre portions égales et mélanger avec chaque condiment à parts égales. On assaisonnera chaque tartare selon les goûts de chacun avec plus ou moins de ketchup, de sauce Worcester et de sauce piment.

Façonner les tartares en forme de steaks hachés épais, creuser une petite cuvette au centre et y déposer une cuillerée à café bien bombée de moutarde fouettée. Servir et déguster.

NOTE Il est possible aussi de servir le steak tartare non préparé et de laisser les convives l'assaisonner à leur guise. On disposera alors les différents ingrédients dans l'assiette.

Ma Petite
BOUCHERIE
vegan

Les

Classiques
d'ailleurs

SAUTÉ AUX OIGNONS

POUR 4 PERSONNES

C'est le genre de plat que l'on voit à la carte de tous les restaurants chinois. C'est à cette recette que je pense chaque fois que j'achète des protéines de soja texturées plates et brunes. Visuellement on dirait vraiment du bœuf.

PRÉPARATION : 35 MIN

INGRÉDIENTS

• 1 l de bouillon de légumes • 5 g de poudre de champignons
• 70 g de protéines de soja texturées brunes • 2 oignons • 1 citron vert
• 10 g de sucre de canne • Tamari • 10 g de fécule de maïs • 1 gousse d'ail
• 15 g de gingembre • Huile d'arachide • Coriandre fraîche

PRÉPARATION

Dans une casserole, porter à ébullition un litre de bouillon de légumes avec la poudre de champignons. Plonger les protéines de soja texturées dans le liquide et laisser cuire à feu moyen et à couvert durant quinze minutes.

Pendant ce temps, émincer les oignons et réserver.

Dans un bol, presser le citron vert, ajouter le sucre ainsi qu'un trait de tamari et réserver.

Dans un cul-de-poule, délayer la fécule avec 5 cl de tamari, ajouter la gousse d'ail pressée et le gingembre finement râpé au préalable et réserver. Une fois cuites, égoutter les protéines de soja texturées et bien les presser pour retirer un maximum de liquide.

Ajouter les protéines dans le cul-de-poule, mélanger et laisser mariner pendant quinze minutes.

Dans un wok, faire chauffer un fond d'huile d'arachide et faire revenir les oignons. Dès qu'ils commencent à devenir légèrement translucides, verser 100 ml d'eau froide et laisser réduire.

Réserver les oignons hors du feu et huiler à nouveau le wok.

Faire revenir les protéines de soja texturées avec la marinade à feu vif en les retournant en continu. Quand les protéines ont un aspect légèrement caramélisé, ajouter la préparation à base de jus de citron vert ainsi que les oignons. Faire cuire en remuant durant encore trois minutes avant de servir. Ciseler quelques branches de coriandre fraîche et en parsemer le plat.

NOTE Ce type de plat peut facilement être préparé à l'avance et réchauffé à la poêle ou au wok. Cinq petites minutes à feu vif suffiront. Pour l'accompagner, un riz blanc est idéal ou encore quelques jeunes légumes sautés à l'huile de sésame.

YAKITORI

POUR 6 BROCHETTES

Ce n'est pourtant pas une nouveauté, mais, il faut bien reconnaître que le tofu reste un ingrédient que peu de gens savent cuisiner et donc apprécier. C'est pourquoi j'ai voulu mettre ce produit à l'honneur à travers cette recette japonaise légèrement revisitée.

PRÉPARATION : 15 MIN - CUISSON : 5 MIN

INGRÉDIENTS

• 400 g de tofu fumé ferme • 10 g de sucre de canne • 20 ml de tamari
• 20 ml de saké • 20 ml de mirin • Huile de colza

PRÉPARATION

Couper le tofu en 24 cubes de taille égale.

Dans une casserole, mélanger le sucre, le tamari, le saké, le mirin et une pincée de sel. Porter l'ensemble à ébullition et laisser réduire pendant cinq minutes. Couper le feu, ajouter l'huile et bien mélanger. Laisser refroidir durant quelques minutes puis ajouter les morceaux de tofu. Mélanger délicatement avec une spatule afin que le tofu soit bien nappé par la sauce sur chaque face.

Laisser reposer durant quinze minutes.

Préparer six piques à brochettes en bambou d'environ 20 cm de longueur et piquer dessus quatre morceaux de tofu bien alignés. Dans une poêle bien chaude légèrement huilée, faire saisir les brochettes durant une minute sur chaque face.

Déglacer* avec le reste de la sauce en retournant les brochettes dans le liquide chaud rapidement pour ne pas les laisser brûler.

Déguster avec une petite salade de choux et de carottes et un bol de riz long.

NOTE Cette recette est modulable. Vous pouvez utiliser n'importe quel type de tofu ferme, nature ou aromatisé. Il en va de même avec le saké que l'on peut remplacer, à quantité égale, par un autre alcool fort comme du cognac ou du calvados.

* Le déglaçage consiste à verser un liquide (vin, bouillon, crème etc.) dans un plat encore chaud afin de récupérer les sucs de cuisson pour en faire une sauce d'accompagnement savoureuse.

BOULETTES

POUR 18 BOULETTES

Les boulettes de viande sont, à l'origine, une astuce pour recycler les restes que l'on ne peut pas servir tels quels. Tout est haché puis lié ensemble et façonné au creux de la main. Une version végétale s'imposait en y ajoutant une touche méditerranéenne.

PRÉPARATION : 25 MIN - CUISSON : 10 MIN

INGRÉDIENTS

• 100 g de petits flocons d'avoine • 10 g de tapioca • 5 g de paprika fumé •
• 5 g de sel fin non raffiné • 100 g de purée de tomates • 200 g de tofu fumé ferme •
• 1 oignon • 1 gousse d'ail • 50 g de tomates séchées • 15 g de basilic frais •
• Poivre noir • 40 g de farine de blé • Huile d'olive •

PRÉPARATION

Dans un cul-de-poule, mélanger les flocons d'avoine, le tapioca, le paprika et le sel.
Ajouter la purée de tomates, mélanger et laisser gonfler.
Mixer le tofu fumé, émincer l'oignon finement, presser la gousse d'ail et ajouter aux flocons d'avoine.
Il faut obtenir une pâte assez compacte.
Découper les tomates séchées en tout petits morceaux et ciseler finement le basilic.
Ajouter au pâton, poivrer et bien pétrir le tout.
Au creux de la main, former des boulettes de 30 g et les rouler dans la farine.
Faire chauffer un généreux fond d'huile d'olive dans une grande poêle et y faire revenir les boulettes à feu vif pendant dix minutes en les retournant régulièrement.
Servir avec une sauce aux tomates et la garniture de votre choix (pommes de terre, pâtes...).

NOTE Vous pouvez préparer ces boulettes 48 h avant en les gardant filmées au frais. Il faudra juste les repasser dans la farine avant de les faire cuire. De plus, elles sont faciles à réchauffer au four si vous avez des restes (180 °C durant quinze minutes).

STEAKS À BURGERS

POUR 6 STEAKS

Le secret d'un bon hamburger réside principalement dans la qualité de son steak. Les haricots rouges associés au soja texturé permettent d'obtenir une bonne texture facile à façonner et à cuire.

PRÉPARATION : 20 MIN - CUISSON : 20 MIN

INGRÉDIENTS

• 30 cl de thé fumé type Lapsang souchong • 3 cl de tamari
• 100 g de petites protéines de soja texturées • 5 g de garam masala
• 5 g de poudre d'oignons • 1 betterave crue râpée • 1 oignon rouge
• 250 g de haricots rouges cuits • 5 g de paprika fumé • 50 g de gluten de blé

PRÉPARATION

Faire infuser le thé fumé durant cinq minutes dans un litre d'eau à 95 °C. Une fois infusé, retirer le thé et ajouter le tamari.

Dans un cul-de-poule, verser les protéines de soja texturées, le garam masala et la poudre d'oignons. Verser le thé encore chaud et laisser les protéines de soja gonfler. Réserver.

Éplucher la betterave et l'oignon et les râper finement. Réserver.

Rincer abondamment les haricots rouges et les mixer avec une pincée de sel et le paprika fumé.

Mélanger dans le cul-de-poule les trois préparations (thé/soja texturé, betterave/oignon, purée de haricots rouges) avec le gluten de blé.

Bien pétrir le tout avec les mains et laisser reposer le temps de préchauffer le four à 180 °C.

Sur une plaque de cuisson, déposer une feuille de papier sulfurisé. Diviser la préparation en six portions et former les steaks au creux de la main.

Déposer sur la plaque et cuire durant 20 minutes.

Dès que la cuisson est finie, laisser refroidir complètement.

Avant de les servir, faire dorer les steaks dans une poêle bien chaude avec un peu d'huile d'olive pendant deux minutes sur chaque face.

NOTE Il est préférable de préparer ces steaks la veille, cela permet de raffermir leur texture et d'unifier leurs arômes.

HACHÉ BOLOGNAISE

POUR 4 PERSONNES

La véritable sauce bolognaise oscille entre le ragoût et la sauce proprement dite. Elle est donc consistante avec ce qu'il faut de mâche sous la dent et parfumée à cœur. On est assez loin d'une simple sauce tomate agrémentée de viande hachée.

PRÉPARATION : 20 MIN - CUISSON : 30 MIN

INGRÉDIENTS

• 1 oignon • 2 carottes • 1 branche de céleri • Huile d'olive • 200 g de tempeh fumé
• 30 g de petites protéines de soja texturées • 150 ml de vin rouge • 40 g de concentré de tomates
• 300 ml de bouillon de légumes • 100 g de pulpe de tomate • Poivre noir

PRÉPARATION

Éplucher les carottes et l'oignon, prélever la branche de céleri sans les feuilles, et couper l'ensemble en tout petits morceaux.

Dans un fait-tout muni de son couvercle, faire chauffer un fond d'huile et y faire revenir les légumes durant cinq minutes à feu vif. Pendant ce temps, émietter le tempeh dans un bol et mélanger avec les protéines de soja texturées non réhydratées.

Quand les légumes commencent à blondir, ajouter le mélange tempeh/soja texturé, bien mélanger l'ensemble et arroser avec le vin rouge. Laisser mijoter quelques minutes jusqu'à évaporation.

Dans un bol, délayer le concentré de tomates avec le bouillon de légumes et ajouter à l'ensemble. Saler, poivrer et laisser mijoter à feu doux et à couvert pendant 30 minutes.

À mi-cuisson, ajouter la pulpe de tomates et une cuillerée à soupe d'huile d'olive. Bien mélanger à nouveau et ajuster l'assaisonnement si nécessaire.

Servir la sauce bolognaise encore chaude sur des pâtes comme des spaghettis ou des tagliatelles et parsemer de quelques feuilles de basilic frais.

NOTE Cette préparation peut se conserver au réfrigérateur, dans un bocal en verre hermétiquement fermé, durant cinq jours. Elle peut également se congeler.

WIENER SCHNITZEL

POUR 4 PERSONNES

Lors d'un séjour à Vienne, j'ai été frustré de ne pouvoir déguster cette spécialité locale en version végétalienne. L'idée de recréer une escalope de veau panée est restée dans ma tête jusqu'au moment du déclic.

PRÉPARATION : 25 MIN - CUISSON : 1 H

INGRÉDIENTS

• 100 g de tofu blanc ferme • ¼ de noix de muscade • 4 g de poudre d'ail
• 10 g de sel fin non raffiné • Poivre noir • 150 ml de vin blanc • 150 g de gluten de blé
• 5 g de levure maltée • 50 g de farine de blé • 60 ml d'eau tiède
• 40 g de panko (chapelure japonaise) • Huile de colza

PRÉPARATION

Émietter finement le tofu dans un cul-de-poule. Assaisonner avec la noix de muscade râpée, la poudre d'ail, le sel et poivrer généreusement. Délayer avec le vin blanc et laisser reposer durant dix minutes. Mélanger la poudre de gluten avec la levure maltée, intègrer à la préparation et pétrir pour obtenir un pâton bien ferme. Il est normal que tout le tofu ne s'intègre pas lors du pétrissage.

Façonner le pâton de la forme d'un pain allongé et le contraindre dans du film alimentaire. Cuire à la vapeur durant une heure.

Une fois la cuisson finie, retirer le film alimentaire, laisser refroidir à température ambiante et trancher dans le sens de l'épaisseur afin d'obtenir quatre belles escalopes.

Dans un cul-de-poule, mélanger la farine avec une pincée de sel, 60 ml d'eau tiède et délayer avec un fouet afin d'éviter les grumeaux.

Préparer une assiette généreusement recouverte de panko. Tremper chaque escalope dans le mélange farine/sel/eau puis les rouler dans la panure.

Les escalopes se cuisent dans une poêle bien chaude avec un généreux fond d'huile de colza pour bien frire la panure. Servir avec une tranche de citron jaune et la garniture de votre choix.

NOTE Le panko est une panure traditionnelle japonaise qui a pour particularité d'avoir du volume en restant légère. Néanmoins, il est possible de réaliser cette recette en utilisant une chapelure maison (pain sec moulu) ou achetée dans le commerce.

BARBECUE RIBS

POUR 4 PERSONNES

Je suis parfois d'un esprit facétieux en cuisine. Cette recette illustre parfaitement ce propos. Laissons donc ces travers au porc qui n'a rien demandé et jouons en trompe-l'œil ! Avouons-le, tout le plaisir réside dans la sauce barbecue et sa caramélisation.

PRÉPARATION : 30 MIN - CUISSON : 20 MIN

INGRÉDIENTS

- 1 l de bouillon de légumes • 4 tranches de protéines de soja texturées de forme «steaks»
- 1 panais • 1 poivron rouge • 1 gousse d'ail • 1 oignon doux • 15 ml d'huile d'olive
- 10 cl de vin rouge • 30 g de ketchup • 40 g de sucre • 20 g de sauce Worcester vegan
- 20 ml de liquid smoke • 15 ml de sirop d'érable • 3 g de paprika fumé
- 10 gouttes de sauce au piment • 15 ml de tamari

PRÉPARATION

Chauffer le bouillon de légumes dans une casserole et y faire réhydrater les tranches de soja texturé durant quinze minutes à couvert. Une fois cuites, bien les égoutter et les presser pour chasser l'excédent de liquide. Éplucher le panais et le couper en longues frites de 5 mm d'épaisseur. À l'aide d'un couteau long et bien aiguisé, créer des incisions à intervalles réguliers dans l'épaisseur des tranches de soja texturé afin d'introduire les bâtonnets de panais. Réserver.

Préparation de la sauce barbecue

Nettoyer le poivron en prenant soin de bien retirer toutes les graines ainsi que les côtes blanches. Découper en tout petits dés. Faire revenir dans l'huile d'olive l'oignon finement haché jusqu'à ce qu'il soit translucide, ajouter l'ail écrasé et les poivrons. Bien mélanger et laisser cuire à feu doux et à couvert jusqu'à ce que les poivrons soient tendres. Ajouter tous les autres ingrédients. Bien mélanger et laisser cuire quinze minutes à feu doux et toujours à couvert. Mixer l'ensemble afin d'obtenir une sauce lisse, ajouter 10 cl d'eau et laisser réduire à feu moyen sans couvrir, jusqu'à obtenir une consistance nappante. Badigeonner généreusement les protéines de soja ainsi que le panais sur les deux faces (compter deux cuillerées à soupe de sauce par face). Laisser reposer quinze minutes. Faire chauffer un gril et y faire saisir les *ribs* durant cinq minutes environ. Bien surveiller la coloration. Servir aussitôt.

NOTE Si vous n'êtes pas équipé d'un gril, vous pouvez aussi cuire les ribs à la poêle sans matière grasse ou encore au barbecue.

IRISH STEW

POUR 4 PERSONNES

L'Irlande, ses bières et son ragoût de mouton ! Comment ne pas vouloir s'attaquer à ce cliché culinaire alors qu'il est si simple de remplacer la viande dans ce type de plat mijoté. Encore une fois le soja texturé est à l'honneur.

PRÉPARATION : 20 MIN - CUISSON : 1 H 30

INGRÉDIENTS

• 100 g de protéines de soja texturées • 1 l de bouillon de légumes • 200 g de carottes
• 2 oignons • 1 branche de céleri • 500 g de pommes de terre de type ratte
• 10 ml d'huile de colza • 2 branches de thym • 1 feuille de laurier
• 50 cl de bière brune • Poivre noir • Persil plat

PRÉPARATION

Dans une casserole, faire cuire les protéines de soja texturées dans un litre de bouillon de légumes durant quinze minutes.

Pendant ce temps, éplucher les carottes et les tailler en rondelles d'environ 5 mm d'épaisseur. Éplucher les oignons et les découper en gros morceaux. Découper la branche de céleri en tout petits morceaux. Laver les pommes de terre et les couper en deux.

Égoutter les protéines de soja texturées en réservant 50 cl du bouillon.

Dans un fait-tout, faire chauffer l'huile de colza et y faire revenir les protéines de soja.

Dès qu'elles commencent à dorer, ajouter les branches de thym, le laurier, la bière, les 50 cl de bouillon et porter le tout à ébullition.

Ajouter l'ensemble des légumes, saler et poivrer selon votre goût et laisser mijoter à couvert et à feu doux durant une heure et demie.

À mi-cuisson, mélanger délicatement, goûter le bouillon et ajuster l'assaisonnement si nécessaire.

Une fois le ragoût cuit, ajouter une bonne poignée de persil plat finement haché.

NOTE Traditionnellement, ce ragoût irlandais se prépare avec une bière brune de type *stout* (brassée à partir de grains hautement torréfiés). Attention cependant, certaines bières sont filtrées avec une substance à base de collagène de poisson. Renseignez-vous bien avant de faire votre choix.

GOLDEN NUGGETS

POUR 20 PIÈCES

De bons nuggets bien dorés, garantis sans morceaux de poussins ou autres aberrations. Pour cela, j'aime utiliser du pois chiche qui donne à ma préparation une texture très proche de ceux que l'on trouve dans le commerce.

PRÉPARATION : 25 MIN - CUISSON : 1 H

INGRÉDIENTS

- 250 g de pois chiches cuits • 10 g de tapioca • 150 ml de lait de soja nature
- 20 g de moutarde forte • ¼ de noix de muscade • 7 g de sel fin non raffiné
- 60 g de poudre d'amandes • 20 g de levure maltée • 4 feuilles de sauge fraîche
- 15 ml d'huile de colza • Poivre noir • 150 g de gluten de blé • 60 g de farine de blé
- 2 g d'ail en poudre • 50 g de panko (chapelure japonaise)

PRÉPARATION

Dans un grand récipient, mélanger les pois chiches, le tapioca, le lait de soja, la moutarde, la muscade râpée, 5 g de sel. À l'aide d'un mixeur plongeant, réduire l'ensemble en une purée fluide. Ajouter la poudre d'amandes, la levure maltée, la sauge hachée, l'huile de colza et un tour de moulin à poivre. Mixer à nouveau brièvement puis ajouter la poudre de gluten. Pétrir jusqu'à obtenir un pâton souple et homogène.

Former deux boudins légèrement aplatis et les contraindre séparément dans du film alimentaire. Cuire les nuggets à la vapeur durant une heure.

Une fois la cuisson terminée, retirer le film alimentaire, laisser refroidir complètement puis découper les boudins en tranches d'environ 1,5 cm d'épaisseur.

Dans un cul-de-poule, mélanger la farine, la poudre d'ail et 2 g de sel. Verser 100 ml d'eau tiède et bien mélanger à l'aide d'un fouet afin d'obtenir une pâte liquide.

Dans un autre cul-de-poule, verser le panko.

Passer les morceaux dans la pâte puis dans le panko afin de les paner.

Faire chauffer la friteuse à 180 °C et plonger les nuggets en petite quantité pour éviter qu'ils ne se touchent et laisser cuire durant exactement deux minutes.

NOTE Une fois frits, vous pouvez conserver les nuggets au frais puis les réchauffer à la poêle sans matière grasse à feu moyen, quelques minutes sur chaque face. Vous pouvez aussi les congeler.

KEFTA

POUR 8 PIÈCES

Il existe de nombreuses versions de *kefta* à travers le monde, des Balkans, en passant par le Moyen-Orient et même l'Inde. Ma version végétalienne se rapproche plus de l'esprit arabe par son mélange d'épices, mais aussi de la méthode indienne pour la technique.

PRÉPARATION : 25 MIN - CUISSON : 10 MIN

INGRÉDIENTS

• 1 oignon blanc • 1 gousse d'ail • 10 g de coriandre fraîche • 10 g de persil plat
• 100 g de petites protéines de soja texturées • 5 g de ras-el-hanout
• 2 g de graines de cumin • 5 g de sel fin • Poivre noir
• 2 g de piment doux en poudre • 90 g de farine de pois chiches

PRÉPARATION

Hacher très finement l'oignon blanc, la gousse d'ail, la coriandre fraîche et le persil plat. Mélanger le tout dans un cul-de-poule et réserver.

Dans une casserole, mélanger les protéines de soja texturées avec le ras-el-hanout, les graines de cumin entières et le sel. Couvrir d'eau et laisser cuire à feu vif et à couvert durant environ dix minutes. Verser dans le cul-de-poule, poivrer et bien mélanger (la chaleur du liquide va cuire légèrement les oignons et les aromates).

Laisser refroidir puis ajouter le piment doux et la farine de pois chiches. Pétrir avec les mains jusqu'à obtention d'une pâte relativement compacte. Modeler les *kefta* au creux de la main en leur donnant une forme allongée et les traverser d'une pique à brochette en compressant bien autour du bâton. Laisser reposer à l'air libre durant dix minutes minimum avant la cuisson.

Vous pouvez saisir les *kefta* à la poêle avec un peu d'huile d'olive pendant cinq minutes sur chaque face ou encore les passer au gril ou bien au barbecue.

NOTE Les *kefta* sont encore plus agréables à déguster avec une sauce orientale à base de purée de sésame délayée avec du jus de citron et de l'eau que l'on aura assaisonnée avec du sel et de l'ail.

TANDOORI

POUR 4 PERSONNES

La culture indienne et la cuisine végétale, c'est une histoire d'amour ancestrale. Pourtant, eux aussi ont quelques recettes carnées intéressantes dont il est facile de s'inspirer.

PRÉPARATION : 25 MIN - CUISSON : 1 H

INGRÉDIENTS

• 150 g de gluten de blé • 35 g de poudre d'amandes • 10 g de levure maltée
• 5 g d'oignon en poudre • 4 g de garam masala • 6 g de sel fin non raffiné
• 300 ml de lait de soja nature • 100 g de crème de soja lactofermentée
• 50 g de pâte tandoori • 1 gousse d'ail • 10 g de gingembre frais • ½ citron • Huile de colza

PRÉPARATION

Dans un cul-de-poule, mélanger la poudre de gluten avec la poudre d'amandes, la levure maltée, l'oignon en poudre, le garam masala et le sel. Pétrir en ajoutant le lait de soja jusqu'à obtention d'un beau pâton homogène. Diviser en cinq morceaux de taille égale en leur donnant une forme légèrement allongée et contraindre les morceaux dans du film alimentaire. Cuire à la vapeur durant une heure. Pendant ce temps, mélanger dans un saladier la crème de soja lactofermentée, la pâte tandoori, la gousse d'ail préalablement pressée, ainsi que le gingembre haché finement. Délayer avec le jus du demi-citron et bien mélanger jusqu'à obtenir une sauce homogène.
Quand la cuisson du pâton est finie, retirer immédiatement le film alimentaire et couper chaque morceau en deux dans le sens de la longueur. Laisser refroidir à température ambiante puis mettre les morceaux dans la sauce en veillant à bien enrober le tout. Laisser mariner pendant une heure minimum. Préchauffer le four à 180 °C. Sur une plaque de cuisson, poser une feuille de papier sulfurisé, disposer les morceaux et cuire durant 20 minutes. À mi-cuisson, arroser chaque morceau avec un filet d'huile de colza. Servir bien chaud accompagné d'un quartier de citron frais.

NOTE *Tandoori* désigne en fait des plats cuits dans un four indien appelé *tandoor*. Par extension, c'est aussi le nom d'un mélange d'épices traditionnelles que l'on trouve sous forme de pâte ou bien de poudre. Attention, sa couleur rouge-brune naturelle est parfois renforcée avec des colorants rouges contenant de la cochenille.

Achevé d'imprimer en août 2016